Erinnerungen aus Beesenstedt.

mit Bildern und
Photographien.
von Christa Moering.

für Vater und Mutti
zu Weihnachten 1929.

Erinnerungen aus Beesenstedt

mit Bildern und Photographien

von Christa Moering

Wiesbaden 2009

Christa, Friede, Irmgard, Martin, Ruth, Brigitte, Ilsabe 1929
(von links nach rechts)

Vorwort

Beim Umzug im Jahr 2002, als Christa Moering von der Irenenstraße in die Kellerstraße gezogen ist, fand ich das Schulheft mit den Erinnerungen aus Beesenstedt.

Christa Moering war dreizehn Jahre alt, als sie diese für ihre Eltern auf vierundneunzig Seiten in Sütterlinschrift aufgeschrieben hat.

Das kleine Heft ist aufgeteilt in elf Kapitel und handelt von den wichtigsten Familienereignissen. Fotos von ihren bedeutungsvollsten Bezugspersonen hat sie gesammelt und eingeklebt.

Wenn man das Heft liest, staunt man über die dreizehnjährige Persönlichkeit und über das, was sie bereits an Eigenschaften besaß, und bis heute auszeichnen: Beobachtungsgabe, Eigenwilligkeit und ihre künstlerische Sensibilität.

In den letzten Tagen des Jahres 2008 hat mir Christa Moering das Heft diktiert. Beim Schreiben bin ich ihr ganz in diese Zeit und an diese Orte gefolgt und wollte, dass auch ihre Freunde in diesen Genuss kommen. Wir beschlossen also, ein kleines Buch daraus zu machen. Der Text wird in der Originalfassung – mit allen Eigenheiten und Rechtschreibweisen einer Dreizehnjährigen – übernommen. Kursivgesetzte Wörter kennzeichnen nachträglich Eingefügtes, das nicht im Original enthalten war. Die Fotos auf den Seiten 4, 6, 7, 14 und 26 sind aus dem Besitz von Christa Moering eingefügt worden.

Petra von Breitenbach, Juli 2009

Friede, Christa, Brigitte, Martin, Mutti, Ruth, Vater, Irmgard, Ilsabe

(von links nach rechts)

Einleitung.

Dieses Buch zeigt Euch die fröhliche, ungetrübte Jugend, die ich mit meinen
sechs Geschwistern im Beesenstedter Pfarrhaus verlebte.
Irmgard war die Älteste, sie war elf Jahre alt, als meine jüngste Schwester
Ilsabe geboren wurde. Ruth ~~war~~ und Martin waren je 1½ Jahr jünger als
Irmgard. Brigitte ~~3~~ und wir Zwillinge je 3 Jahre jünger als Ruth und Martin.
Aber nicht nur fröhliche Tage verlebten wir in Beesenstedt, sondern auch
traurige, aber an die erinnere ich mich nicht mehr sehr, und darum findet
ihr sie auch nicht im Buch. ~~Die Geschichten sind harmlos und fröhlich.~~
Nun hoffe ich, daß das Buch Euch gefallen wird, darum lest es!

1929 C. M.

Das Pfarrhaus v. vorn.

Die gewölbte Küche.

I. Kapitel.

Etwas von unserem Haus und Ilsabes Geburt.

Meine früheste Erinnerung ist wohl die Geburt meiner kleinen Schwester
Ilsabe. Wir wohnten damals in Beesenstedt bei Halle in dem wunderschönen
Pfarrhaus. Mutti sagte heute noch, nachdem sie doch schon viele Pfarrhäuser
gesehen hat: „die Beesenstedter Pfarre ist wirklich ein Ideal von Pfarrhaus!"
Das stimmt auch, ein schöneres hätte man sich nicht denken können.
Das Pfarrhaus selbst war ein großes altes Gebäude, ganz mit Efeu bewachsen.
Es sollte Anfang des 13. Jahrhundert erbaut sein, das könnte auch möglich
sein, denn die Decke der Küche war noch gewölbt und eine sehr große Säule
stand noch mitten darin. An der einen Seite des Pfarrhauses war ein riesi-
ger Hof mit allen möglichen Wirtschaftsgebäuden. Daneben war der Garten
mit dem hübschen Gartenhäuschen, und an der hinteren Seite und vor dem
Hause war der Vordergarten in dem riesige Fliederbüsche standen. Besonders schön aber war für uns der ganz alte, verwilderte Friedhof, der gleich
an den Garten grenzte und auf dem wir herrlich spielen konnten. In diesem
Paradiese, könnte man beinahe sagen, wuchsen wir sieben Kinder auf.
Ich sehe noch ganz genau das Kinderzimmer vor mir, in welchem der große
runde Tisch stand, an dem Vater und wir sechs Geschwister, das siebente
fehlte noch, saßen. Wir Zwillinge waren kaum drei Jahre alt. Auf einmal klin-
gelte es, Vater ging heraus und kam bald darauf freudestrahlend zurück.
„Nun ratet mal", sagte er „was Euch Mutti wohl aus Halle mitbringen wird?"
Wir rieten hin und her. Erst wurde alles Spielzeug was wir gerne hätten,
durchgeraten, aber Vater sagte zu allem „Nein" und wir wurden immer
gespannter. Endlich verriet er es ein wenig, und sagte, daß es etwas Lebendiges sei. Wir rieten solange bis wir an ein „lebendiges Püppchen" kamen, und
da sagte Vater endlich „Ja". Nun war die Freude riesig: „Ein richtiges lebendi-

ges Mädchen, wie süß! Ob es wohl goldene Löckchen hat, und blaue Augen, und so rote Backen wie das Kind in meinem Bilderbuch?" fragte Irmgard. Jetzt wurde aber beraten, wie das Schwesterchen wohl heißen sollte. Irmgard schlug immer Elisabeth, Margarete, Johanna, und solche Namen vor, während Brigitte, Martha oder Lieschen viel passender fand. Wie es dann weiter war, weiß ich nicht mehr, aber einige Tage darauf führte uns Helene in das Eßzimmer, wo unser guter, weißer Kinderwagen, und das Kinderbettchen standen, natürlich prächtig ausgeschmückt.

Ungefähr nach 14 Tagen kam eine Kutsche in unseren Hof, aus ihr stieg zuerst Großmutter und dann Mutti mit dem süßen Kindchen heraus. Es hatte wirklich blaue Augen und knallrote Bäckchen, aber die goldnen Löckchen fehlten noch. Mutti bekam einen riesigen Geburtstagstisch, und hatte doch gar keinen! Von Illebes Taufe weiß ich nichts mehr, die wird mir nicht so imponiert haben. Aber dann kam Dedels Hochzeit, von der weiß ich wieder viel zu erzählen.

Dedel und Herr Ohlendorf

II. Kapitel.

Wer Dedel war, und Dedels Hochzeit.

Dedel, eigentlich hieß sie Margarete Richter, aber wir nannten sie so. Also
Dedel war unsere Kindergärtnerin, und wir liebten sie sehr, besonders wir
Zwillinge. Wie wir drei Jahre alt waren, heiratete Dedel Herrn Ohlendorf
und von dieser Begebenheit, an die ich mich noch etwas erinnere will ich
nachher erzählen. Nachdem sie geheiratet hatte, wohnte sie in dem hübschen
Schulhaus am Ende des Dorfes.
Aber keineswegs war es nun mit ihr abgetan, nein, wir standen viel mehr im
innigsten Verkehr mit ihr, und jeden Mittwoch pilgerten wir Zwillinge zu ihr
und spielten wunderschön bei ihr. Sie hatte eine große Katze, und die hieß
Peter.
Später hatten sie einen Garten hinterm Haus, den sie mit größter Liebe und
Sorgfalt pflegten. Herr Ohlendorf trieb auch Immenzucht *(Bienenzucht)*
die ganz gut glückte. Dedel war viel, sehr viel krank, denn sie war zart und
konnte nicht viel vertragen. Vor einen paar Monaten, im Jahr 1929 ist sie
gestorben.

Da ihr jetzt Dedel kennengelernt habt, will ich auch von ihrer Hochzeit erzählen. Ich war ein wenig krank und lag im Gitterbett im Schulzimmer. Auf einmal ging die Tür auf und Dedel kam herein. Sie hatte ein langes weißes Kleid an, und noch einen längeren weißen Schleier. Statt einer Krone, wie ich mir vorgestellt hatte, hatte sie einen Kranz auf. Ich stellte mir Bräute immer nur mit Kronen vor, und war ein wenig enttäuscht, als ich sah, daß Dedel bloß einen Kranz, etwas Gewöhnliches, aufhatte. Sie setzte sich auf den Tisch vor der Schulbank und erzählte mir etwas, was, weiß ich nicht mehr. Bald ging Dedel aber in ihr Zimmer, aber dafür kam nun Helene, Muttis Stütze herein, nahm mich aus dem Bettchen, setzte mich auf den Schreibtisch, und zog mir ein feines weißes Kleid an und weiße Strümpfe und Schuhe. Dann ging ich an Helenes Hand die Treppe herunter. Nach einer Weile bewegte sich ein hochzeitlicher Zug vom Hofe, Friede und ich mußten zu Hause bleiben, weil es noch solch kaltes Märzwetter war, und ich war noch nicht ganz gesund. Im Hause war kein einziger Mensch außer Fräulein Erich, die ihr auch noch näher kennen lernen werdet, die uns betreuen mußte. Um uns ein wenig zu trösten, und die Zeit zu vertreiben, fütterte sie uns mit soviel Kuchen, daß wir beinah geplatzt wären. Die alte, gute Ea *(Emma Erich)* hatte immer Kuchen bei sich. Als der Hochzeitszug aus der Kirche kam, gab es einen herrlichen Hochzeitsschmaus auf den ich mich noch ziemlich besinnen kann. Wie Ihr Euch wohl lebhaft vorstellen könnt, waren wir ganz satt und konnten überhaupt nichts mehr essen. Sogar das schöne Schokoladeneis wollte durchaus nicht in den kleinen Magen rein gehen, und darum spuckte ich es wieder aus. Bei dem fröhlichen Schmaus wurde viel gelacht und erzählt, und auch auf das Wohl Dedels und Herrn Ohlendorfs getrunken und angestoßen. Mich steckte man bald, glaube ich, wieder ins Bett, wo ich wahrscheinlich eingeschlafen bin, und nocheinmal die frohen Stunden durchlebt habe.

3. Kapittel

Einige Kinderstreiche.

Das sieben Kinder sehr viele Streiche machen, könnt Ihr Euch wohl sehr
gut vorstellen. Besonders wir Zwillinge leisteten in diesem Punkt fabelhaft
viel, aber ein Streich wäre Ilsabe beinahe sehr schlecht bekommen. Es war
an einem wunderschönen Tag mitten im Sommer. Bei uns waren einige
Maurer, die auf dem Boden arbeiteten und jedenfalls stand unsere große
– große Leiter die bis über die Dachrinne ging, am Hause. Als Mutti einmal
aus der Haustür trat, sah sie Ilsabe, die damals ungefähr 2 Jahre alt war, ganz
oben auf der Leiter stehen. Ein Fehltritt – ein Laut der sie hätte erschrecken
können – – und sie läge mit zerschmetterten Gliedern auf dem Hofe.
Mutti erstarrte beinahe, aber bald hatte sie die alte Fassung wieder. Sie
schickte Martin auf die Leiter, der ganz leise Illebe holen sollte. Aber sobald
Ille merkte, daß Martin kam, kletterte sie wie ein Eichkätzchen immer
höher – – – höher in die schwindelnde Höhe. Erst auf den letzten Spros-
sen erreichte sie Martin, und kletterte sicher die Leiter mit ihr herunter, und
Mutti hatte ihre Illebe gesund wieder.
Wir Zwillinge waren, wie ich schon erwähnte, so echte Rangen, die immerzu
etwas vorhatten. Zum Beispiel streuten wir einmal Vaters guten Tabak,
den er von einer Tante bekommen hatte, den Hühnern vor, oder wir jagten
Mutti, um ihr eine besondere Freude zu machen, alle Gänse die wir im Dorf
erwischen konnten, in den Hof, und wunderten uns mächtig, als Mutti sich
nicht darüber freute, sondern uns sagte, sie sofort wieder dahin zu treiben,
wo wir sie hergeholt hatten.
Einmal, es war im Kriege, hatten wir von einer Tante aus Afrika wunderschönen Kakao bekommen, und wir stießen aufs Wohl dieser Tante an. Am
andern Morgen kommt Mutti die Treppe herunter und hört im Eßzimmer

Scherben klirren. Erschrocken eilt sie hin und findet uns beide auf dem Büffet sitzend, jeder ein Glas in der Hand, daß noch aus Urgroßmutters Zeiten stammt, und solange dagegen stoßend, bis es kaputt ist. 2 lagen schon am Boden. Was für einen Lohn wir bekamen, könnt ihr euch wahrscheinlich schon denken.

Einandermal hatte Mutti uns alle ganz weiß angezogen. Ich weiß nicht mehr warum. Da gerieten wir in den Kohlenkeller, wo wir gerade Koks in Ostereierform liegen hatten. Wir spielten natürlich Ostereierverstecken und wurden so schwarz wie Schornsteinfeger dabei, und die ~~ganze~~ weiße Herrlichkeit war dahin.

Noch viele andere Kinderstreiche könnte ich euch wohl erzählen, aber ich will jetzt mal aufhören. Ihr bedauert wohl schon unsere gute Mutti recht, die soviel durchmachen mußte? – – – – – – – – –

Ilsabe im Sommer 1924,

als sie 4 Jahre alt war.

Christa und Friede 1924

4. Kapitel.

Wie wir spielten!

Wir sieben Kinder in so ungezwungener Freiheit konnten herrlich zusammen spielen. Im Sommer wie auch im Winter. Einmal spielten wir Zigeu-
ner im Garten, das war herrlich. Ich glaube Irmgard war die Mutter, und
Martin der Vater. In alte bunte Tücher und Sachen gehüllt, erschienen wir
in der Küche, und baten um notwendige Sachen und Lebensmittel, und daß
wir bald verhungerten, und dabei sahen wir so rosig und frisch aus, wie man
nur irgend sein kann. Brigitte konnte das so schön, ich höre sie heute noch:
„Ach schönes Frauchen, jeb'e se uns doch was zu essen, mer ham seit vorge-
stern nischt mer jehabt; (das stimmte allerdings nicht) ham se doch Erbarm'
mit uns, sehn se doch meine armen verhungerten Gingerchen möchten
was ham!" Die gute Frau, welche heimlich lachen mußte, es war nämlich
Mutti, gab uns jedem einen Apfel etwas Milch und Brot womit wir seelen-
vergnügt abzogen. Die Sachen wurden mit Behagen auf unserem Lager-
platz geschmaust. Als wir fertig gegessen hatten, kamen wir auf einen neuen
Gedanken, wir spannten nämlich Treff, unseren Hund, vor den Leiterwagen
und jagten mit ihm im Garten herum. Aufeinmal riß er sich los, wupp da
war er auch schon über die Mauer, und weg war er. Nun fing ein Suchen an,
im halben Dorf, bis ihn Martin schließlich wieder heil zurückbrachte. Mitt-
lerweile war es aber Abend geworden, und Meia mußte uns wieder in richtige kleine Menschen Moerings verwandeln, denn daß ist auch eine Kunst,
die nicht jeder kann, aus kleinen Zigeunermädels wieder richtige, anständige
Mädels zu machen. Und außerdem mußte ja noch aufgeräumt werden, und
Punkt sieben Uhr mußten wir beim Abendbrot erscheinen.

Einandermal spielten wir „Verlobung", zwei Elternpaare hatten beide ein Kind, die verlobten sich dann, und es gab immer eine große Liebesgeschichte, von der wir kaum etwas verstanden. Oft spielten wir auch auf dem Holzboden und im Schuppen. Auf dem Holzboden richteten wir uns wunderhübsche Zimmer ein, aus alten Kisten und Geräten. Als Fenster stellten wir Ziegel hoch, aber als Vater das einmal sah, bekamen Martin und Brigitte Ohrfeigen, und mußten die Dachziegel gleich wieder in Ordnung bringen.

Jedes Jahr aber bauten wir ein feines Indianerzelt und wir liefen als kleine Indianer verkleidet herum. Unseren Nachmittagskaffee, der zwar heiße Milch war, tranken wir im Zelt, und alle aus dem Hause mußten kommen und das Zelt bewundern. Aber am allerliebsten spielten wir doch im Alten Friedhof. Da spielten wir „Räuber und Prinzessin", oder „Anschlagsverstecken" oder „Haschens", und noch viele andere lustige Spiele.

Im Friedhof war ein Erbbegräbnis. Dieses war immer unsere Wohnung, oder unsere Prinzessinburg. Von da aus ärgerten wir auch die Tennishunde, oder flüchteten vor ihnen. Die Tennishunde waren einige Hunde die ab und zu mal in den Friedhof kamen. Warum wir sie so nannten weiß ich nicht. Diese Hunde bellten manchmal, und davor hatten wir 3 Kleinen eine Heidenangst. Oft spielten wir auch Schiff. Die Gräber waren unsere Schiffe, auf sie steckten wir einen Stock mit einem Taschentuch drangebunden, das war dann die Fahne. Mit diesen Schiffen segelten wir dann im Ozean oder sonst wo 'rum. Es gab auch immer eine Tragödie wenn das Schiff abfuhr! Die Liebste des Kapitäns oder seine Schwester winkte ihm noch furchtbar lange nach, bis es wirklich nicht mehr zu sehen war, und doch stand das Schiff noch an der selben Stelle, wo es von Anfang an gestanden hatte, denn Gräberschiffe können ja leider heutzutage noch nicht im Weltmeer herum segeln.

Im Winter spielten wir meistens „Mutter und Kind", oder mit unseren Puppen und Puppenstuben, oder mit dem Baukasten oder mit allerhand

anderen Spielsachen. Oft fuhren wir auch Schlitten auf dem „Pasterberg"!
Hei, wie das sauste! Oft gingen wir auch zu Fräulein Erich und tranken bei
ihr Tee mit soviel Zucker drinn, daß er oben heraus guckte.
Nun will ich 'mal aufhören mit diesem Kapitel, aber daß wir schön zusammen spielen konnten, habt ihr sicher schon längst gemerkt, denn das ganze
Kapitel handelt ja davon, und wir spielten auch noch immer so schön zusammen, als Irmgard und Ruth schon ganz große Mädels waren.

vorne: 2 Cousins, Ilsabe auf Großmamas Schoß, Großmama, ein Cousin, Friede, Christa
hinten: ein Cousin, Brigitte, Irmgard, Ruth, Martin

Din Familin Shun Tefaben.

Irmgard 9 J. Ruth 7½ Jahrn, Martin 6½ Jahrn

Brigitta 5 Jahrn, Zwillingn 2 Jahrn.

Die Familie ohne Ilsabe.

Irmgard 9 J. Ruth 7½ Jahre, Martin 6½Jahre

Brigitte 5 Jahre, Zwillinge 2 Jahre.

-30-

5. Kapitel.

Fräulein Erny.

Jetzt will ich euch endlich' mal etwas
von Fräulein Erny erzählen. Denn
wenn ihr sie schon kennt, sie wird
ja immer von uns—n oder Er ge-
nennt. Also diese Er war eine alte,
uralte Frau, sie wohnte im Oberdorf,
in ganz Häuser ~~~~ neben~ unser
~ Post. Drei Zimmer besaß sie, eine
Wohnstube, eine Küche und eine Kammer.
~ Die Kammer war es fürchterlich, denn
~ war ganz voll von Lebensmitteln.
~ Letzten standen darin, in dem einen
~ich sie, oder auch den anderen ~~~~

-33-

legten Würste und Butterstücke, und
Eier und Käse, (Der verbreitete besond..
den lieblichen Duft) Die warmen Kuchen..
und wenigen Schokoladen, Tee, Zucker,
Rosinen. Fast alles hatte schon einen
kleinen Stich, Die Butter war ran..
Die Würste schlecht, Die Eier faul, Die
Käse madig und die Kuchenstücke wo..
auch schon nicht mehr genießbar. Nur,
nun kommt ihr auch zu schon durch allen
wein es der weg! Sie wohnte nämli..
im Dorf und verlangte dafür kein ..
ändern Lebensmittel. Wir waren
viel bei ihr, Sie hatte nämlich ..
Ziegen, und ein Ziegenbett, ..

-34-

...it spielten wir dann. Ab und zu mochten

...auch auf alten Sorgen, die und

...schenkten, Puppensachen. Kindliche

...indischen brachten wir der Partie, ob

...itz, wir dachten hin und niedlich, ...

...Wirklichkeit waren sie mancmal zu-

...ig schmutzig. Ich wollte auch sehr

...iel bei ihr, sie hatte unendlich viel

...erzogen, worauf man immer wunder-

...schön Tage von drauch bei zahlen könnte,

...Sie machte, wenn man sie ihr

...klärt hatte, als "wunderschön" be-

...ichnete und erklärte. "Sie hatte die ganze

...übe voll von Photographien, sogar

...uf dem Tisch standen, welche, wozu

-35-

5. Kapitel.

Fräulein Erich.

Jetzt will ich Euch endlich mal etwas von Fräulein Erich erzählen, deren Name Ihr ja schon kennt, sie wird bloß immer von uns Ee oder Ea genannt. Also diese Ea war eine alte, uralte Frau, sie wohnte im Oberdorf, ein paar Häuser weiter war die Post. Drei Zimmer besaß sie, eine Wohnstube, eine Küche und eine Kammer. In der Kammer roch es fürchterlich, denn sie war ganz voll von Lebensmitteln. 2 Betten standen darin, in dem einen schlief sie, aber auf dem anderen ~~waren~~ lagen Würste, und Butterstücke, und Eier und Käse, (der verbreitete besonders den lieblichen Duft) da waren Kuchen-stücke und ranzige Schokolade, Tee, Zucker, und Rosinen. Fast alles hatte schon einen kleinen Stich, die Butter war ranzig, die Würste schlecht, die Eier faul, der Käse madig und die Kuchenstücke waren auch schon nicht mehr genießbar. Nun, ihr könnt Euch ja schon vorstellen, wie es da roch! Ea nähte nämlich im Dorf und verlangte dafür kein Geld, sondern Lebensmittel. Wir waren viel bei ihr, sie hatte nämlich zwei Puppen, und ein Puppenbett, damit spielten wir dann. Ab und zu nähten wir auch aus alten Lappen, die uns Ea schenkte, Puppensachen. Niedliche Kleidchen brachten wir da fertig, es heißt, wir dachten sie uns niedlich, in Wirklichkeit waren sie nämlich ziemlich scheußlich. Ich malte auch sehr viel bei ihr, sie hatte unendlich viel Papier, worauf man immer wunderschöne Figuren drauf kritzeln konnte, die Ea nachher, wenn man sie ihr erklärt hatte, als „wunderschön" bezeichnete. Ea hatte die ganze Stube voll von Photographien, sogar auf dem Tisch stan-den welche, dazu kamen nun auch noch die Bilder, die ich fabrizierte. Oft gingen wir auch auf den Tennisplatz zur „Eksteinen", die die Gänse hütete, mit Ea, dann gings weiter über die Brücke von „der Bache" und weiter bis

an die Sandgrube, von der uns Ea schauerliche Geschichten erzählte, daß
da schon Leute begraben seien, von dem Sand, u. a. daß wir gar nicht glau-
ben wollten, weil es doch so herrlich war, in dem schönen weißen Sand
zu spielen. – – Eines Tages sagte Mutti zu uns Zwillingen, wir sollten doch
Stricken bei Ea lernen, hei, war das eine Freude! Im ~~Gedanken~~ Geiste
hatte ich Vater schon ganz fix ein Paar Socken zu Weihnachten gestrickt.
Noch einmal so froh wie sonst marschierten wir zu Ea, jeder ein Päckchen
unter'm Arm, dessen ~~Inhalt~~ Papier schöne rote Wolle und je 5 2 Strickna-
deln barg. Mit klopfenden Herzen langten wir bei ihr an. Nachdem wir uns
erst durch 2 wunderschöne Spiegeleier gestärkt hatten, gings ans Stricken.
Jede Masche (Ob sie falsch war, oder nicht) wurde sie mit einem Stück Schokolade belohnt. Wenn wir aber gar eine Nadel abgestrickt hatten, bekamen
wir eine Tasse Tee, wo der Zucker oben heraus guckte. Die alte gute Ea hatte
unendlich viel Mühe, uns das Stricken bei zu bringen, für unsere kleinen,
ungeschickten ungeduldigen Hände war das zuviel verlangt. Aber 2 Reihen
Maschen hatten wir doch abgestrickt, und wir beide jeder fast eine ganze
Tafel Schokolade bekommen.
Oft gingen wir zu Ea, aber Ea kam auch ebenso oft zu uns, das war immer
ein großes Hallo, sobald sich die Tür auftat, strömten die Hühner und
Tauben und Kinder herzu, der Hund bellte an seiner Kette, der ganze Hof,
der eben noch so friedlich vor Deinen Augen lag, war wie umgewandelt. Ja
aber warum denn das, das möchtet Ihr wohl zu gerne wissen: Ei, die Ea hatte
einen großen, großen Beutel, der war bis obenhin vollgestopft von allerhand guten Sachen. Da gab es Kuchen für uns, Kuchenkrümel für Huhn und
Taube und endlich noch ein paar Knochen für unseren guten Treff. Na, nun
könnt ihr euch wohl denken, warum der ganze Aufruhr in unserem Hofe
war, wenn Ea kam.

Die alte gute Ea ist jetzt auch gestorben, wie viele alte, gute Bekannte. Sie aber haben wir am allerliebsten, von allen Bekannten gehabt, und darum werden wir sie am allerwenigsten vergessen.

~

Wenn Ea kommt

6. Kapitel.

In der Schule

Da kam ein Tag. – – Ein großer, großer Tag in unserem jungen Leben. Nämlich – – der erste Schultag! Mutti war eigendlich ein bißchen traurig, daß sie ihre Zwillinge schon hergeben sollte, für die Schule, andererseits war sie doch wieder froh, nun hatte man doch endlich mal für ein paar Stunden Ruhe im Hause. Wir freuten uns riesig auf den Tag, und endlich war er gekommen mit seiner großen Zuckertüte.

Früh-morgens waren wir natürlich die ersten aus dem Bett, und standen schon zehn minuten ungeduldig wartend vor dem Kinderzimmer. Kamen sie denn immer noch nicht? Endlich hatte sich die ganze Familie versammelt. Die Tür ging auf, und wir gingen neben Vater und Mutti ins Zimmer. Nachdem Vater ein kurzes Gebet gesprochen hatte, gingen wir an unsere Plätze, und was stand da – – ? Auf Friedes und meinem Platz? In je einem Weckglas standen 2 1 große Zuckertüten, hei, was war da nicht alles drinnen! Hexe, Besen, Sternchen Kringel, Bonbons, und auch Schokolade, dann war in den Zuckertüten je 5 Griffel, und neben ihnen lagen je eine Tafel und eine Fiebel und ein Rechenbuch. „Herrliche Sachen"! – dachten wir.

Um 10 Uhr war die Anmeldung. Frohen Mutes gingen wir die 3 Schritte zur Schule, jeder eine feine Mappe, allerdings aus Tuch, unterm Arm. Wir waren mächtig stolz, waren wir doch die einzigen die ohne Mutter kamen, die anderen wurden alle von ihrer Mutter, oder ihrem Vater gebracht. Da stand schon Ursel v. Entreß und Gretchen Wurtzler, und viele andere die wir schon kannten. Tante Lene, die Ursel von Entreß brachte, schenkte uns jedem noch eine Tüte. Dann gingen wir alle in die Klasse, bekommen unsere Plätze angewiesen, und nachdem Herr Ohlendorf noch mit den Eltern gesprochen hatte, wurden sie entlassen, und unsere erste Schulstunde begann. – –

Einige Tage darauf hieß es, wir wollten einen Ausflug machen. Wir bekamen jeder ein Schmalzbrot und einen Apfel mit. In wunderschöner Ordnung zogen wir los, und sangen „Hänschen klein – –", und wißt ihr, wohin es ging? Ins Klosett im Schulhof! Nachdem Herr Ohlendorf uns gezeigt hatte, wo die Mädchen, und wo die Jungens verschwinden sollten, war der Ausflug beendet, und wir kehrten fröhlich von diesem weiten Ausflug zurück.

Unser zweiter Ausflug war schon etwas weiter, nämlich auf den Alten Friedhof. Einmal wurden wir auch photographiert, das war auch fein. Erst wurden Bänke zum Fenster herausgegeben, weil das patenter war, als erst durch die Tür. Diese wurden vor dem Schulhaus aufgestellt, und dann stellten wir uns drauf. Auf die oberste kamen die Jungens, und dann die Mädchen. Natürlich hatte sich um uns eine dicke Reihe Leute gebildet, denn das war doch etwas unerhörtes, eine Klasse photographiert, und heimlich dachte auch fast jeder, er würde vielleicht mit auf das Bild kommen, und darum machten die Leute die um uns herumstanden, als der Photograph gerade knipste, ein noch größeres Photographiergesicht, als wir. So verlebten wir in Beesenstedt herrliche Schultage, die ich nicht vergessen werde.

~

Schule und Kirche.

Tag der Einschulung

7. Kapitel.

Tante Lenes Häuschen.

Wenn man aus der Pfarre kommt, über den Platz geht, bis an die Deichmauer und noch ein paar Schritte weiter, so kommt man an ein nettes kleines Häuschen. ~~am Mittelbau sind rechts und links Flügel)~~ Vor dem Haus ist ein Vordergarten indem die schönsten Blumen wachsen, sorgsam gepflegt und begossen. Jeder Mensch, der vorbei geht hat seine Freude an dem ganzen Häuschen, aus dem man eigendlich immer eins von uns, oder einen kleinen Jungen, oft auch ein anderes Mädchen, daß nicht zu uns gehörte, herausspringen, oder ~~im Gar~~ am Staket herumklettern sah.

Hier wohnte Tante Lene, sie paßte so ganz in das Häuschen herein, in ihrer lieben Art. Wie ich schon erwähnte, waren wir sehr oft bei ihr und spielten mit Gerhardel, dem kleinen Jungen, im Garten, damit ist aber nicht der ~~kleine~~ Garten, sondern ein riesengroßer, hinter dem Haus gelegen gemeint, oder kletterten am Staket herum, was wir zu gern taten. Gerhardel war aber keineswegs Tante Lenes Kind, was wohl mancher von Euch denken wird, nein, er war ein kleiner Junge aus Berlin, Verwandte von Entres, die ihr auch noch kennen lernen werdet, den Tante Lene in Pension genomen hatte und der auch auf die Schule in Beesenstedt ging. Oft spielten wir aber auch am Bach und im Grund, da bauten wir im Wasser Dämme und spielten wunderschön, oder mit Ursel, dem anderen Mädchen spielten wir Ball an den Wänden des Häuschens wobei wir, wenn der Ball weg flog, immer über die schönen Rosen oder über den Rasen wegliefen, was wir nicht sollten, aber immer wieder vergaßen. Überhaupt mit den Rosen ist auch noch eine Geschichte zu erwähnen furchtbar komisch. Eines Tages fehlten Tante Lene 3 ihrer schönen Rosen, und sie wußte nicht, wo die geblieben waren, bis Gerhardel die Sache endlich etwas aufklärte, indem er sagte, daß er an dem

Morgen Otto einen Beesenstedter Dorfjungen, gesehen hätte, wie er Blumen
abgerupft habe. Nun wußte Tante Lene bescheid: schnell mußten wir Otto,
der gerade auf der Dorfstraße spielte, holen, und Tante Lene fragte ihn, ob
er sie genommen hätte, aber er sagte immer wieder und wieder: „Nein," bis
ihm Tante Lene eine Ohrfeige gab, so daß er heulend auf die Straße zurück-
lief. Aber damit war die Sache noch nicht erledigt, nein, ich weiß nicht wie es
kam, jedenfalls rannten wir nachher zu Wirts und suchten in den 3 Stuben
überall nach den Rosen bis wir sie fanden. Nämlich als ich mal zufällig unter
das Bett guckte, sah ich einen Eimer da stehe. Verwundert zog ich ihn vor,
und siehe da, in dem Eimer fanden sich die drei Rosen. Voll Freude über
unsern Sieg rannten wir zu Tante Lene, die sich auch sehr darüber freute,
ihre Rosen wiederzuhaben, und sie schnell wieder einpflanzte, wo sie heute
noch ihr Häuschen schmücken.

-59-

8. Kapitel.

Etwas von Entreß.

Nun möchtet ihr wohl gar zu gerne etwas von Entreß hören, wo doch schon so oft ihr Name vorgekommen ist. Entreß hatten das große Rittergut in Beesenstedt, Herr von Entreß und Tante Lene, seine Schwester, in dieser Zeit waren wir sehr viel oben, wie wir es einfach nannten. Einmal war ich 9 Wochen lang bei Tante Lene, in dieser Zeit muß ich recht viel Ungeschicktes gemacht haben, einmal die Tinte umgeschüttet, einandermal etwas kaput gemacht haben, jedenfalls handelt das Hochzeitsgedicht, daß Vater, als Herr v. Entreß sich verheiratete, gemacht hatte, nur von meinen Untaten damaliger Zeit.

Auf eins kann ich mich noch ziemlich genau besinnen. Einmal war ich allein im Eßzimmer, da fiel mir das schwarze Ding auf, das da an der Wand angebracht war, mit dem weißen Knopf. Ich hantierte daran herum, bis ich heraus hatte, daß man auf den Knopf drücken müsse, wenn sich etwas verändern sollte, ich versuchte es, und – – holterdi – polter kam eins der Mädchen heraufgestürzt, und fragte, was ich wünsche. Ich war so verdutzt, daß ich garnichts sagen konnte, und außerdem war ich absolut nicht hungrig, und das Mädchen wollte mir etwas zu essen aufdrängeln. Endlich sagte ich, ich wünsche mir ein halbes Knackwurstbrot, denn dieser Wurst sprach ich besonders zu. Als das Mädchen wieder hochgekommen war, und ich das Brot noch in den kleinen Magen gestopft hatte, war die Sache gut, aber nie wieder habe ich die Klingel angerührt. – – –

Friede kam auch öfter zu Entreß, einmal waren wir 4 Wochen zusammen oben, während die Großen in Hedersleben waren. In dieser Zeit gewann sie Herrn v. Entreß so lieb, daß sie immer behauptete sie wolle ihn heiraten, und er versprach es ihr auch im Scherz. Als sich nun aber Herr v. Entreß mit einer anderen verheiratete, was großes Aufsehen im Dorfe machte, war sie sehr enttäuscht, so hatte sie sich auf's Verheiraten gefreut. Wie ich schon sagte, machte es im Dorf großes Aufsehen, daß Herr von Entreß heiratete, aber noch mehr, als man erfuhr, daß sie keine ganz Junge mehr sei, sondern eine Witwe, die ein 4 Jähriges Kind, Ursel, mit in die Ehe brachte. Ein paar Tage drauf kam Ursel das erste Mal zu uns. Wir saßen alle zusammengedrängt im Kinderzimmer und warteten auf sie. Endlich kam sie. Ursel war

ein zierliches durchsichtiges Ding, mit einem feinen Gesichtchen. Wir dachten aber alle in der Stille, oder laut: „Na die muß sich in Beesenstedt aber erst herausfüttern." Sie erzählte sehr viel von ihrer alten Heimat, fand es aber besonders wichtig, daß sie in der Nese Schnupfen habe, was uns sehr imponierte, da wir Nese statt Nase nicht kannten. Ursel fand es sicherlich sehr schön bei uns, denn sie kam sehr oft und bald erscholl im ganzen Haus der Ruf: „Ursel v. Entreß geborene Plaskuda, wo bist du?" worüber die Großen immer heimlich lachen mußten. (Ursel kam dann mit uns in die Schule, wo wir vergnügte Schultage mit ihr verlebten).

Als ein Jahr vergangen war, und wieder der Hochzeitstag heranrückte, wurden wir feierlichst dazu eingeladen, als Vertrößtung daß Herr von Entreß sie nicht geheiratet habe. Es gab ein herrliches Essen, „Humer", den ich seit diesem Male nie wieder gegessen habe, aber mir war so kreuzübel, daß ich ihn eigendlich nicht recht genießen konnte und deshalb weiß ich nicht mehr, wie er schmeckte, sonst hätte ich es aber vielleicht auch nicht mehr gewußt. Wieder ein Jahr später, oder vielleicht 2, es war am ersten Juli, wir saßen in den Obstbäumen des Gartens und spielten Vögel, als Mutti freudestrahlend in den Garten kam, und uns rief, und nachher erzählte, daß Frau v. Entreß einen kleinen Jungen bekommen hätte. Unsere Freude war riesig, nun mußten wir aber auch gleich beraten, wie Frau v. Entreß ihn wohl nennen würde. Sie nannte ihn aber nachher ganz anders als wir dachten, nämlich: Xaver. Als 14 Tage später, Frau v. Entreß von Berlin zurückkam, wo sie gelegen hatte, mußten wir zu Entreß hoch kommen, und uns den Xaver ansehen. Da lagen dann auf Xavers weißen Kissen 3 süße kleine Puppen, die, wie uns Frau v. Entreß gesagt hatte, Xaver uns mitgebracht hatte. Mich interessierten aber die Puppen viel mehr als Xaver. Xaver gehörte Frau v. Entreß, aber die Puppen gehörten uns. Ein paar Jahre später bekam Frau von Entreß nocheinmal einen Jungen, nämlich Falk, der ist goldig. Die Tage die wir mit Entreß verlebten waren herrlich.

9. Kapitel.

Einige Familienfeste.

Nun habe ich Euch schon soviel von unserem Leben in Beesenstedt erzählt,
und will euch jetzt erzählen wie wir unsere Feste feiertn. Das schönste
Fest war natürlich Weihnachten, aber vor Weihnachten waren noch die
4 Adventssonntage, wovon der schönste der 1. Advent war, den ich Euch
jetzt beschreiben will. Es ist früh morgens um $^1/_2$ 8 Uhr. Da geht die Tür
auf. Mutti kommt herein mit der Adventsrose in der Hand. Wir sind natürlich schon längst wach. Sie setzt sich auf eins von den sieben Betten, denn
wir schlafen alle zusammen, und wir singen alle Weihnachtslieder die wir
kennen. Dann geht Mutti 'raus und ermahnt uns, sofort aufzustehen, was wir
auch tun. Wenn wir fertig sind versammeln wir uns vor der Kinderzimmer-
tür, und wenn wir alle da sind, gehen wir herein
Da brennt dann der Adventskranz, und die Rose, das Transparent, und sechs
große Engel und ein Bergmann, der gehört Martin, aber die Engel gehö-
ren uns, jedem Kind gehört einer. An diese vielen Lichter muß man sich
aber erst gewohnen, und darum zwinkert eigentlich jeder ein bißchen, wenn
er ins Zimmer kommt, aber wie ist es erst Weihnachten! Dann singen wir
„Macht hoch die Tür die Tor macht weit! – –" Was jeder aus vollstem Herzen
mitsingt, – sind wir doch jetzt in der erschnten Weihnachtszeit drinne,
und auch, weil wir vor dem 1. Advent noch keine Weihnachtslieder singen
dürfen, und das ist schön. Dann gehen wir an unsere Plätze, wo wir ~~auf~~
~~jedem Tellern~~ auf unseren Tellern etwas Lebkuchen und Süßigkeiten finden,
ein „Vorschmeckhäppchen von Weihnachten," die wir vergnügt aufessen.
Nachmittags bauen wir die Krippe auf, und singen Weihnachtslieder, was
immer sehr schön ist, und Abends schlafen wir mit dem fröhlichen Gedanken ein „jetzt sind wir in der Weihnachtszeit," und träumen die ganze Nacht

davon. So war es, als wir noch ganz klein waren und so ist es heute noch bei uns. Nun dürft ihr aber nicht denken, das jeden Advent so etwas gemacht würde, nein, sonst würden wir ja ganz verwöhnt, und Weihnachten wäre nicht halb so schön. An den anderen 3 Adventssonntagen bauen wir nur Nachmittags die Krippe auf, und singen Weihnachtslieder. – – – –

Und dann, wenn der 4 Advent da ist und vorüber, dann ist endlich Weihnachten, endlich! Die Weihnachtsarbeiten sind fertig, die Ferien haben begonnen, und man hat jetzt nichts anderes mehr zu tun, als sich auf Weihnachten zu freun, und das ist herrlich.

Heiligabend – Morgens sind wir schon um 6 Uhr, oder noch früher wach, was ja selbstverständlich ist, denn die Freude weckt einen ja schon auf. Dann schlüpfen wir aus unseren molligen Bettchen und gehen an Vater und Muttis Schlafzimmertür und singen ein Weihnachtslied, das wir uns vorher unter vieler Mühe eingeübt haben, das aber dennoch mißglückt. Durch diesen Freudeweckruf waren Vater und Mutti auch gleich auf, und stehen auf, denn es gibt doch noch furchtbar viel zu tun. Vater muß noch seine Weihnachtspredigt überlegen, während Mutti noch im Weihnachtszimmer zu tun hat. Wir aber schlüpfen noch einmal ins Bett und tuscheln von den Dingen die da kommen, und ab und zu hört Mutti: „Heute Kinder wirds was geben," und wehe dem, der sich da mal verspricht und singt „Morgen Kinder wird's was geben!"

Dann, halb 11 stehen wir endlich auf. Das Kaffeetrinken wird mal unterschlagen, denn bald gibt es ja schon Mittag, und überhaupt, heute wird nicht sehr viel Wert aufs essen gelegt, das kommt erst Morgen, da gibt's erst den Weihnachtshasen. Nachmittags gehen wir um 5 Uhr in die Kirche wo wir Kinder, jeder mit einer Kerze in der Hand an den 2 großen brennenden Weihnachtsbäumen vorüberschreiten, und nachher einige die Weihnachtsgeschichte aufsagen, während andere wieder Lieder singen.

Einmal mußte ich die Verkündigung des Engels aufsagen: – „Und Friede auf Erden – –" und zu Hause fragte ich Mutti ganz betrübt: „Warum heißt das nicht auch – „und Christa auf Erden – – ich bin doch auch auf Erden?" Nachdem die Kirche aus ist, gehen wir unserem Hause zu. Der Schnee knirscht unter unseren Füßen, und ich gucke mir den schönen Sternenhimmel an, der heute ganz besonders schön ist, und mir wird es ganz feierlich zumute. So klein ich war, ich fühlte doch, daß Weihnachten etwas ganz, ganz Besonderes ist, was eigentlich nur wir Deutschen so schön feiern können. – – Zu Hause angelangt, kriechen wir schnell in unsere Hauschuhe, die wir schon vorher unter den Ofen getan hatten, damit sie nachher umso wärmer

würden. Dann gehen wir in Vaters Studierzimmer und singen Weihnachtslieder. Eins nach dem anderen, im dunklen Studierzimmer – bis auf einmal das Weihnachtsglöcklein klingelt und wir jubelnd die Treppe 'runterstürzen und ins Weihnachtszimmer. – – Aber wie geblendet bleiben wir an der Tür stehn! Die vielen, vielen Kerzen! Als wir uns an das Licht gewöhnt haben, gehen wir herein und singen: „Vom Himmel hoch da komm ich her," Vaters Lieblingslied, und nachdem Vater ein Gebet gesprochen, und wir die Weihnachtsgeschichte aufgesagt haben, stürzen wir jubelnd an unsere Plätze, wo wir während des Liedes schon mal hingeblinzelt haben. Da stehen nun die 6 Wagen in einer Reihe.

Einmal war's so 'ne komische Geschichte mit dem Puppenwagen. Es war kurz vor dem wir in das Weihnachtszimmer durften. Mutti zählte nocheinmal alle 6 Geschenke durch, ob sie auch keins vergessen hätte, und wie sie die Puppenwagen zählt, sind es bloß 6. Mutti denkt: „Himmel! Wen habe ich da vergessen!" Sie zählt und zählt, und auf einmal fällt ihr ein daß ja Martin keinen hat, sie hat ja 6 Mädels und einen Jungen, und Jungens brauchen heutzutage ja noch keinen Puppenwagen. und noch Viele andere schöne Sachen erfreuen uns auch noch. Der Jubel will kein Ende nähmen. Endlich sind wir von all der Freude ganz Müde geworden, und Mutti bringt uns ins Bett, wo wir bald einschlafen, und ihm Traum den herrlichen Tag noch einmal erleben.

Ostern war auch bei uns immer sehr schön, ebenso Pfingsten und die Geburtstage wie jetzt immer noch. Jetzt ist noch alles genauso, bloß, daß wir nun schon etwas größer geworden sind, und daß jetzt nicht mehr sechs sondern nur noch 3 Puppenwagen an den Weihnachtstischen stehen.

10. Kapitel.

Meia und Käthe.

Meia war unsere Lehrerin und Erzieherin, denn die „Großen", das heißt: Irmgard, Ruth und Martin hatten Privatunterricht teils von Vater, teils bei „Meia" mit noch zwei anderen. Annemarie Böttcher und Anneliese Hilmer. Wir gingen in die Dorfschule, weil wir erst die Grundschule besuchten.Und Käthe, Käthe war Muttis Stütze. Ohne ihr wäre Mutti wohl in den letzten Jahren gar nicht mehr fertig geworden. Sie war ein sonniges Blut, immer lustig und froh, während Meia mehr strenger war, weshalb wir Käthe auch mehr liebten, ausgenommen Ilsabe, die liebte Meia mehr.

War doch Frl. Meinhof, so hieß nämlich Meia eigentlich, ihre „Vietzemama" und sie hatte doch auch Frl. Meinhof in Meia umgetauft. Meia war auch noch zu Ilsabes Geburt gekommen, und hatte Illes wachsen beobachten können, bis sie 5 Jahre alt war und wir wegzogen. Käthe dagegen war erst 2 oder 3 Jahre bei uns. An einem regnerischen Oktobertag, gerade zu Martins Geburtstag, war sie gekommen. Ich erinnere mich noch genau, daß sie es gerade Birnenpfanne, nicht gerade ein Lieblingsgericht der Familie, gab. Eine große, kräftig entwickelte Gestalt war sie, und wie sie in einem Regenmantel, naß wie ein Pudel, denn es goß draußen, in den Hausflur trat, erstaunte ich ein wenig. Denn ich war nur an die kleine, zierliche Meia gewöhnt. Aber ihre liebe, frohe Art erweckte in uns bald das Vertrauen, und da sie auch Mutti gegenüber so auftrat, nannten sie sich bald du. Heute nennt Käthe Mutti: „Mutti", trotzdem sie noch eine Mutter hat. Ihren Vater hat sie vor kurzem leider verloren, wie auch ihren Mann, denn sie heiratete später und wohnte in Dessau. Jetzt wohnt sie wieder in Halle bei ihren Schwiegereltern mit ihrem kleinen Jungen Erwin, der nach seinem Vater heißt. Meia hat auch vor kurzem geheiratet, verlobt war sie schon lange.

Illebe und Irmgard die äÄlteste und jüngste waren zu ihre Hochzeit da.
Ilsabe sagte ein von Vater verfaßtes Gedicht, daß sehr niedlich war, auf, und
worin die Mühe und Not geschildert wird, die Meia und Mutti zusammen
mit den zerrißenen Sachen hatten, denn wir zerrißen enorm mächtig viel.

7 Kinder haben 14. Beine und 70 Zehen rechne ich,
was die in Lauf und Sprung alleine zerreißen, das ist fürchterlich!

So lautet eine Strophe des Gedichtes und das ist auch wahr.
Die Zeit, wo Käthe und Meia im Beesenstedter Pfarrhaus herumwirtschafte-
ten, war die schönste. Käthe hatte sehr viel Interesse für Geflügelzucht, wie
auch Friede. Mutti kam einmal, als Friede noch 2 Jahre alt war, von „Kauf-
mannnetes", wie wir den Kaufmann der Nette hieß nannten. Da sah sie,
wie ein Gänserich auf Friede zulief, und sie beißen wollte, Friede aber, die
einen kleinen Wollhund in der Hand hatte, ihm flugs etwas damit auf den
Schnabel gab. Heute hat Friede Zwerghühner und war neulich seelig als sie
3 verkaufte. Käthe war auch so für die Hühner begeistert. Wir hatten zu
ihrer Zeit jeder unser eigenes Huhn, was wir manchmal füttern durften, sie
hatte auch Geflügelzucht in Miesbach gelernt, und daher wußte sie unsere
Hühner gut zu behandeln. Wenn sich sonst auch keine Tiere bei uns hielten,
die Gänse und Kaninchen starben, ihre Hühner waren dick und rund, und
legten fleißig Eier. Ich weiß noch, als wir wegzogen, mußten wir soviel Eier
essen, da wir keine mitnehmen wollten, daß wir uns nachher uns garnichts
mehr daraus machten.
Bis zum Umzug blieben Käthe und Meia bei uns. Es war eine fröhliche und
vergnügte Zeit in der sie bei uns waren.

Meia.

Käthe. In Dessau an der Elbe.

11. Kapitel

Wir ziehen fort

Wir ziehen fort aus Beesenstedt! Das war ein großes Ereignis in unserer
Jugend. Es war im März, einige Tage vor Muttis Geburtstag, da sagte Brigitte,
die damals 12 Jahre alt war, zu uns: „Ach Zwillinge! Wenn Ihr wüßtet,
was ich weiß, ihr würdet lieber heulen, als lachen." Und dabei flossen ihre
Tränen reichlich. Sie sang auch nur immer Abschiedslieder, wie: „Muß' i'
denn," und „Heimat o Heimat, Ade du mein lieb Heimatland" und andere.
Wir liefen bestürzt zu Mutti, und erzählten ihr die Sache von Brigitte. Als
Mutti das hörte, gab sie ihr eine tüchtige Ohrfeige. Als am 15 Märtz, an
Muttis Geburtstag Martin, der die letzten 2 Jahre in Eisleben zur Schule
ging, nach Hause kam, wurden wir Abends ins Studierzimmer gerufen,
voll Neugierde kamen wir herein und fanden die „Großen" und Vater und
Mutti um den runden Tisch sitzend. Wir mußten uns dazu setzen. Und als
Vater endlich zu sprechen begann, hingen aller Augen, besonders unsere an
Vaters Lippen. „Wir ziehen nach Weißenfels!" sagte Vater. „Das Konsitorium
hat mich versetzt." Die Großen weinten, aber wir lachten und freuten uns,
und steckten die Großen beinahe mit an. Mutti mußte uns von Weißenfels
erzählen, denn sie war im Januar mit Vater schon ein paar Mal dortgewesen.
Jeden Tag bekämen wir einen Apfel und ein Schmalzbrod in die Schule mit,
verhieß sie uns, denn ~~jetzt~~ bisher holten wir uns nur ein Stück trokenes Brot
in der großen Pause geholt.
Wir sahen uns schon in Weißenfels auf der Promenade Reifen spielen und in
die Bergschule gehen, denn wie Mutti sagte, war die Schule dort auf einem
Berge. Wir freuten uns mächtig auf Weißenfels, aber die Leute im Dorfe
waren sehr traurig, daß Vater wegkam, besonders ~~die~~ Ea. Die wußte überhaupt nicht was sie anfangen sollte.

Als einmal es wieder wackliger wurde, daß wir wegkämen, und Vater ihr das erzählte, sprang sie vor Freude fast über den Tisch. In der Schule hatten wir das Gerücht verbreitet, wir kämen am 5 Mai fort, es wurde aber erst der 28 Mai. Jetzt wurde im Hause viel gewirtschaftet. Mutti und Irmgard strichen die unsere Betten und die Kinderstühle und Tische und die Gartenstühle. Für die letzten 4 Wochen kamen wir zu Entreß und Ille zu Tante Lene, denn uns kleines Gemüse konnte man doch nicht im Hause gebrauchen. Das war noch eine gemütliche Zeit.

Ursel und ich schliefen zusammen, und in dieser Zeit freundeten wir uns mächtig an. Von Entreß aus gingen wir nun jeden Tag zur Schule. Als wir einmal zur Schule gingen sahen wir 5 große Möbelauto vor unserem Hause stehen. Natürlich baten wir Herrn Ohlendorf uns ein paar Stunden frei zu geben, weil wir so gern mit zugucken wollten, wie die Sachen verpackt wurden. Die übrigen Stunden malten wir (die ganze Klasse) nur Möbelwagen auf die Tafeln. Es war aber auch zu interessant zu zu gucken. Die ganzen Pausen hindurch bildeten alle Schulkinder eine dicke, dicke Kette um die Möbelauto. Wenn Herr Ohlendorf klatschte, und die Pause zuende war, war das „Ooch" noch viel lauter als gewöhnlich.

Mittags aßen die Großen bei Tante Lene. Das letzte Mittag in Beesenstedt! Brigitte und ~~Martin~~ Ruth waren schon jeden Morgen und Abend 1 Stunde weit gegangen, nach Rottelsdorf zu Tante Lisa und Onkel Georg, denn im Hause waren keine Betten mehr vorhanden. Mittags um 2 Uhr fuhren die Großen weg. Viele Leute waren am Bahnhof, um Mutti und Vater nochein-mal auf wiedersehen zu sagen. Die Stimmung auf dem Bahnhof war nicht gerade die fröhlichste. War doch Vater 14 Jahre lang in Beesenstedt gewesen und seine Gemeinde war sehr anhänglich.

Wir sollten noch 14 Tage in Beesenstedt bleiben, bis die Pfingstferien zuende waren. Denn, wenn in Weißenfels eingeräumt würde, konnte man uns doch nicht gebrauchen. Wir waren auch sehr froh darüber, daß wir noch bei

Entreß bleiben durften. Bloß kam ich jetzt zu Tante Lene ins Häuschen. Aber bald, nachdem die Großen weggefahren waren wurde ich krank. Aber bei Tante Lene krank sein, ist immer sehr schön. Ilsabe wurde auch noch krank und zwar am Pfingstsonntag. Tante Lene war mit ihr zu Entreß hoch gegangen, um dort Pfingsten zu verleben. Aber beim Mittagsbrot konnte sie gar nichts essen. Als Tante Else, wie wir Frau v. Entreß nannten, sie fragte, sagte sie nur: „Ich kann nicht m..." und sie mußte sich übergeben. Das komischste bei der Sache war, daß alles fein säuberlich auf den Teller kam. Als später Entreß 'mal bei uns waren, und Xaver es genauso machte, sagte Herr von Entreß: „Wie du mir, so ich dir," worüber wir alle tüchtig lachen mußten. Aber wir wurden beide wieder gesund in den 14 Tagen. Ille gleich am selben Tag, denn sie hatte sich nur überfuttert, ich, einige Tage später.

Endlich kam der letzte Tag. Noch einmal aßen wir alle zusammen bei Entreß zum Mittag. Wie die Großen, so fuhren auch wir mittags um 2 Uhr weg. Bis ans Parktor begleitete uns Xaver mit seinem Kindermädchen. Auf dem Bahnhof stand Herr Lampe, der unsere Koffer trug, (Er war Entreß Kutscher.) und Tante Else, und ~~Onkel Eber~~ Herr v. Entereß. Der Zug kam herangebraust. – „Einsteigen," rief der Schaffner. Wir stiegen ein, Tante Lene folgte uns, denn sie brachte uns nach Weißenfels. Als wir die Koffer verstaut hatten gingen wir ans Fenster, um Entreß noch einmal eine Lebewohl zu sagen. Da fuhr der Zug aber schon. – – „und viel Glück in Weißenfels," hörten wir noch rufen. Aber schon war der Zug weiter, und die Rufe verhallten in der Luft. Eben sahen wir noch die letzten Häuser von Beesenstedt, noch einmal guckte der Beesenstedter Kirchturm über die Scheunen, aber schon war er verschwunden. Der Zug rollte und rollte weiter – unserer neuen Heimat entgegen. –

— — —

1922. In Rottelsdorf.

Inhaltsverzeichnis.

Inhaltsverzeichnis.

In diesem Bild ist meine
Kindheit verwirklicht.
Wenn ich es ansehe, kommt es mir vor,
wie ein Schwesterbild.
Die Ereignisse sind tief in mir
wie ein Bildarchiv im Aufschlagen.

Christa Wolf.

20.8.09.

Kurzvita von Christa Moering

Christa Moering wurde 1916 in Beesenstedt bei Halle/Saale geboren und lebt seit 1945 in Wiesbaden. Sie gründete 1950 die „Künstlergruppe 50" und 1958 das „Atelier Moering" in Wiesbaden. Sie leitete eine eigene Malschule.

1936–1945 Kunststudium Stettin, Leipzig, Berlin, Frankfurt am Main

seit 1946   zahlreiche Einzel- und Gruppenausstellungen im In- und Ausland, z. B. Spanien, Indien, USA, Paris, Oslo, Danzig, Israel, Japan, St. Petersburg.

1978   Bundesverdienstkreuz

1996   Ehrenbürgerin der Landeshauptstadt Wiesbaden

1998   40 Jahre Atelier Moering – Galerie für junge und unbekannte Künstler

2008   Namensgeberin für den zentralen Quartiersplatz im Wohngebiet Künstlerviertel in Wiesbaden: Christa-Moering-Platz

2009   Namensgeberin Stipendium für bildende Künstlerinnen in Wiesbaden, Christa-Moering-Preis

Veröffentlichungen

Deutsche Malerei der Gegenwart (W. Klein Verlag); Katalog (Triptychon Verlag Essen); Kalender (Korsch Verlag); Helga Lukowsky: „Christa Moering – Malerin. Ein farbenreiches Leben" (Helmer Verlag)

Ankauf von Arbeiten

Museum Wiesbaden, Museum Mainz, Kultusministerium Hessen, Hauptstaatsarchiv Wiesbaden, Bundesbank, Stadt Wiesbaden, Artothek und große Privatsammlungen

Gedruckt mit freundlicher Unterstützung des Kulturamts Wiesbaden

© 2009 Reichert Verlag www.reichert-verlag.de

ISBN: 978-3-89500-704-8

Gestaltung: Petra von Breitenbach und Dr. Sigrun Kotb

Foto Rückseite und Bildbearbeitung:

Fotodesign Silvia Frey, 97291 Thüngersheim, www.foto-frey.de

Alle weiteren Fotografien stammen aus dem Beesenstedter Elternhaus.

Die Fotografien auf den Seiten 4, 6, 7, 14 und 26 sind aus dem Besitz von Christa Moering.

www.kuenstlergruppe50-wiesbaden.com

Kontakt: Petra von Breitenbach 0611 / 5 12 25

info@petra-von-breitenbach.de